Bienvenue
dans le monde des

Salut, c'est Téa, la sœur de Geronimo Stilton ! Je suis envoyée spéciale de « l'Écho du rongeur », le journal le plus célèbre de l'île des Souris. J'adore les voyages et j'aime rencontrer des gens du monde entier, comme les Téa Sisters. Ce sont cinq amies vraiment épatantes. Je vous les présente !

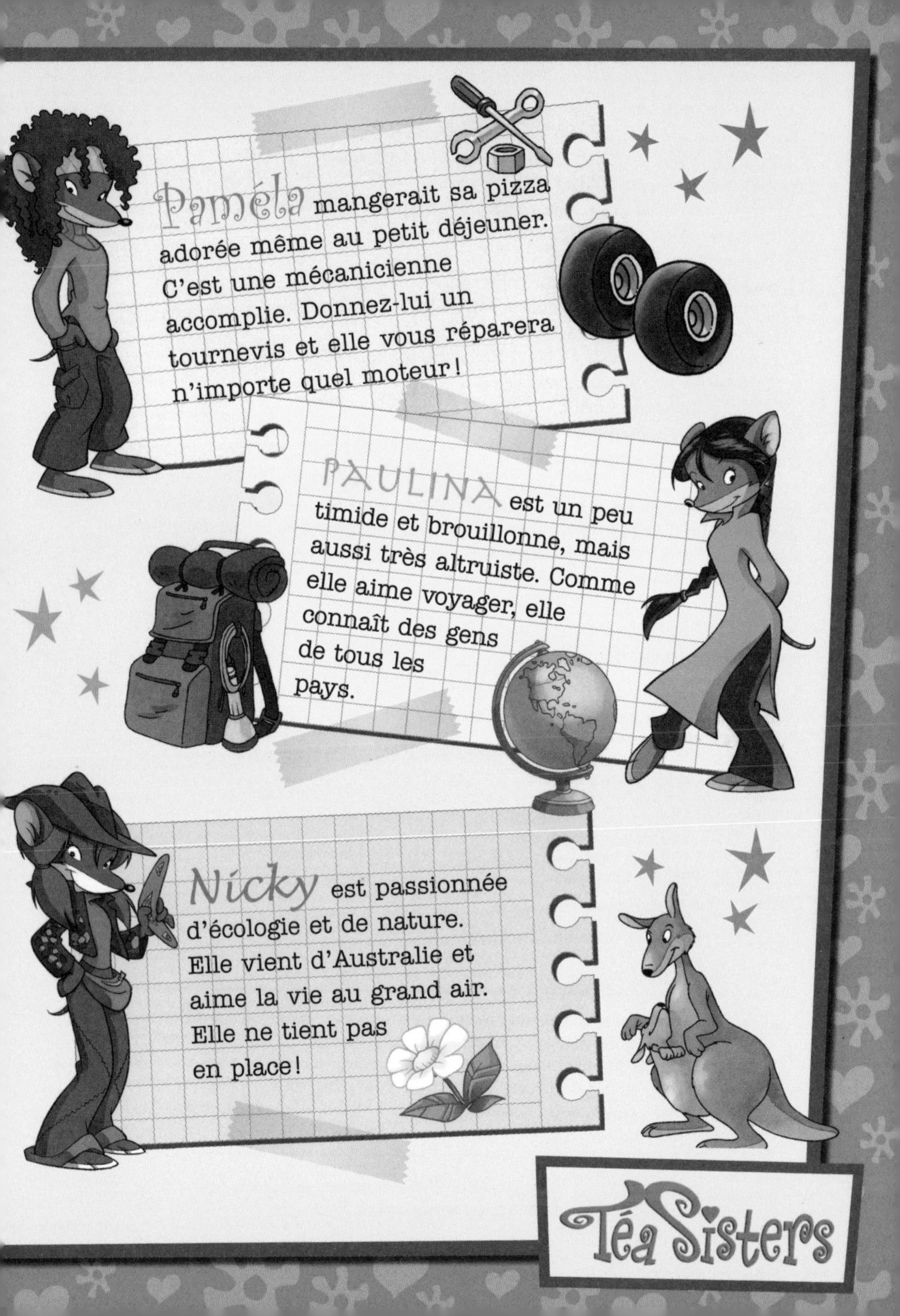
Paméla mangerait sa pizza adorée même au petit déjeuner. C'est une mécanicienne accomplie. Donnez-lui un tournevis et elle vous réparera n'importe quel moteur !
PAULINA est un peu timide et brouillonne, mais aussi très altruiste. Comme elle aime voyager, elle connaît des gens de tous les pays.
Nicky est passionnée d'écologie et de nature. Elle vient d'Australie et aime la vie au grand air. Elle ne tient pas en place !
Téa Sisters

Texte de Téa Stilton.
*Basé sur une idée originale d'*Elisabetta Dami.
*Coordination des textes d'*Alessandra Berello *(Atlantyca S.p.A.)*
*avec la collaboration d'*Arianna Bevilacqua.
Sujet et supervision des textes de Carolina Capria *et* Mariella Martucci.
Coordination éditoriale de Patrizia Puricelli.
Édition de Daniela Finistauri.
Coordination artistique de Flavio Ferron.
Assistance artistique de Tommaso Valsecchi.
Couverture de Giuseppe Facciotto.
Illustrations intérieures de Chiara Balleello, Barbara Pellizzari *(dessins)*
et Francesco Castelli *(couleurs)*.
Graphisme de Marta Lorini.
Cartes : Archives Piemme.
Traduction de Béatrice Didiot.

www.geronimostilton.com

Pour l'édition originale :
© 2012, Edizioni Piemme S.p.A. – Corso Como, 15 – 20154 Milan, Italie
sous le titre *Campionesse si diventa !*
International rights © Atlantyca S.p.A. – Via Leopardi, 8 – 20123 Milan, Italie
www.atlantyca.com – contact : foreignrights@atlantyca.it
Pour l'édition française :
© 2014, Albin Michel Jeunesse – 22, rue Huyghens, 75014 Paris
Blog : albinmicheljeunesse.blogspot.com
Loi 49-956 du 16 juillet 1949 sur les publications destinées à la jeunesse
Dépôt légal : second semestre 2014
Numéro d'édition : 21276
Isbn-13 : 978 2 226 25761 1
Imprimé en France par Pollina s.a. en août 2014 - L68845

Téa Stilton

QUE LA MEILLEURE GAGNE !

ALBIN MICHEL JEUNESSE

L'ÉTÉ, C'EST...

Été : *deuxième des quatre saisons, comprise entre le solstice d'été et l'équinoxe d'automne. Les températures alors enregistrées sont les plus élevées de l'année.*

Telle est la définition que les **ÉTUDIANTS** de Raxford avaient trouvée sous le mot **ÉTÉ**, dans le dictionnaire.

SOLSTICES : ce sont les deux moments de l'année où le soleil atteint les points les plus méridional et septentrional de son parcours apparent (car c'est en fait la terre qui bouge et non lui !). Dans l'hémisphère nord, le solstice d'été a lieu le 21 ou le 22 juin, et celui d'hiver le 21 ou le 22 décembre.

ÉQUINOXES : il s'agit des deux moments de l'année où le soleil est perpendiculaire à l'équateur. Dans l'hémisphère nord, l'équinoxe de printemps intervient le 20 ou le 21 mars, et celui d'automne le 22 ou le 23 septembre.

Mais si cela n'avait tenu qu'à eux, voici la définition qu'ils auraient donnée :

L'été, la plus belle des quatre saisons, s'étend de la fin des examens à la rentrée des classes. Le degré d'amusement alors enregistré est le plus élevé de l'année !

Bien que les cours ne soient pas encore terminés, les élèves du collège avaient commencé à passer une bonne partie de leur temps libre dehors pour profiter des longues journées de soleil et de l'AIR doux.

Violet et PAULINA s'étaient lancées dans un projet auquel elles songeaient depuis un certain temps : **cultiver un petit jardin !**

D'ailleurs, leurs après-midi de SEMAILLES et d'arrosage portaient déjà leurs fruits, ou plutôt leurs légumes : tomates parfaitement rondes

et juteuses, laitues fraîches et croquantes, poivrons odorants, aubergines rebondies et herbes aromatiques…

Colette, quant à elle, avait enfin trouvé le temps de se promener dans les brocantes à la recherche de trésors susceptibles d'enrichir sa garde-robe. Elle avait même réussi à convaincre Pam de l'accompagner… mais toutes deux avaient des points de vue très différents sur la mode !

Pour Nicky, la meilleure manière d'exploiter ces premières heures de beau temps était de NAGER tout son soûl.

Ce jour-là, la jeune fille se trouvait justement à la piscine. Sillonnant le bassin, elle savourait le SILENCE ouaté qui régnait sous l'eau.

Mais dès qu'elle refit surface, le silence s'évanouit...

– **SALUT, NICKYYY !!!**

cria un chœur de bambins rassemblés au bord du petit bain.

Après avoir repris son souffle, la jeune fille répondit :

– Bienvenue, les enfants ! Prêts pour une nouvelle leçon de **natation** ?

LEÇON DE PLONGEON !

Quelques semaines plus tôt, Nicky avait proposé au recteur du collège de donner un cours de **natation** aux enfants de l'école élémentaire de l'île des Baleines.
L'idée lui en était venue lors d'un après-midi passé à la plage en compagnie de ses amies. Elle avait remarqué une fillette équipée de brassards qui s'approchait craintivement de l'eau, y trempait les pieds avant de **FUIR**, épouvantée.
Nicky était allée lui parler.
– La mer est calme et chaude. Pourquoi ne vas-tu pas te *baigner* ? lui avait-elle demandé.
– Parce que je ne sais pas bien nager… Chaque

fois que j'essaie, je bois la **tasse** ! avait timidement expliqué la petite fille, qui s'appelait Béa.
– Moi aussi, j'ai connu ça, jusqu'à ce que j'apprenne quelques **trucs** qui permettent de flotter. Si tu veux, je peux te les montrer ! avait proposé la jeune fille, attendrie.
À la fin de la journée, Béa avait non seulement appris à se maintenir à la surface de l'eau sans **brassards**, mais elle se déplaçait déjà comme un vrai petit poisson !

– *MERCI, NICKY !* s'était exclamée la fillette à la fin de cette leçon improvisée, avant d'ajouter : si demain, j'emmène mes **amis**, tu leur apprendras à nager, à eux aussi ?
Ainsi était né le projet d'accueillir Béa et ses camarades à la piscine de Raxford pour un authentique cours de natation !

FUUUUIIIIT !!!
FUUUUIIIIT !!!

Le son du sifflet de Craig retentit près du bassin.
– Allez, les enfants ! Tous en file indienne ! Aujourd'hui, nous allons apprendre à plonger du tremplin ! annonça le jeune homme.
L'équipe des maîtres-nageurs se composait en effet de Craig, d'Elly et de Nicky.
– *Ouiii !!!* crièrent en chœur les jeunes

baigneurs en se précipitant vers le plongeoir le plus bas. Seule Béa resta immobile au bord de la piscine.

– Eh bien, tu ne suis pas les autres ? lui demanda Nicky en la rejoignant.

– Euh… il ne vaut mieux pas… J'ai un peu mal au VENTRE… répondit la fillette sans détacher les yeux du sol.

Nicky comprit aussitôt qu'il s'agissait d'un pieux mensonge.

Béa n'avait jamais hésité à entrer dans l'eau avec elle lorsqu'elles se trouvaient au bord de la piscine ; la perspective de plonger seule, qui plus est du haut d'un tremplin, devait lui faire PEUR !

– Je comprends… Dans ce cas, voici ce que

je te propose : quand tu n'auras plus mal et que tu auras envie d'essayer, enfile ça ! dit la jeune fille en retirant de son poignet un bracelet de fils colorés, qu'elle tendit à son élève.

Et d'expliquer :

– Ainsi, quand tu seras sur le plongeoir, ce sera un peu comme si je te tenais la main !

Béa s'illumina.

– Merci ! Il est très joli !

Après avoir passé le bijou, elle s'écria :

– Je crois que mon ventre va mieux... Je COURS faire la queue !

Nicky s'apprêtait à rejoindre les autres moniteurs, quand elle

vit Vanilla de Vissen et les autres Vanilla Girls faire leur entrée.
« Je parie que d'ici VINGT secondes Vanilla va se plaindre de la présence des petits... » songea-t-elle.

– ENCORE CES MORVEUX ?! QUELLE BARBE !

Comme prévu, la grande enfant gâtée qu'était Vanilla soupira d'exaspération.
Nicky leva les yeux au ciel, amusée : DIX secondes ! Vanilla avait battu son propre record de vitesse... de jérémiades !

Après avoir lancé un regard noir aux apprentis nageurs, Vanilla se rendit auprès de Nicky, Craig et Elly et leur annonça d'un ton menaçant :

– Gardez ces morveux loin de moi : je ne veux pas être dérangée pendant ma baignade ! Compris ?

Sans même leur laisser le temps de répondre, elle s'empara du matelas gonflable d'Alicia, le mit à l'eau et s'étendit dessus en veillant à ne pas se MOUILLER ne serait-ce que le petit doigt. À cet instant, un enfant monta sur un tremplin et s'écria :

– Regarde, Craig, je vais faire la BOMBE !

Sur ces mots, il sauta en plein milieu du bassin, produisant une énorme gerbe d'éclaboussures.

– AAAAHHHH !

Le cri strident de Vanilla résonna à bonne distance.

– TU M'AS TREMPÉÉÉÉE !!!

– Eh oui, Vanilla, mieux vaut aimer l'humidité quand on va à la piscine ! se moqua Nicky.
Après l'exploit de leur ami, les autres enfants s'empressèrent de bondir, tous ensemble, dans le bassin, faisant gicler l'eau à qui mieux mieux. Vanilla fut obligée de battre en retraite !
– NICKY ! appela une Béa rayonnante au milieu des vagues. VAS-Y, PLONGE !
La jeune fille ne se le fit pas répéter deux fois. Après s'être accroupie agilement sur le bord du tremplin, elle exécuta un plongeon PARFAIT !
Voyant combien leur monitrice était douée, les enfants se mirent à applaudir.
Lorsqu'Elly et Craig montrèrent à leur tour ce qu'ils savaient faire, ces exhibitions se transformèrent en une joyeuse compétition, arbitrée par les petits élèves.
La victoire revint à Nicky… Craig et Elly !

Les trois moniteurs étaient en effet si bons qu'ils finirent *ex aequo*.

En sortant de la piscine, le garçon qui avait fait la première bombe s'exclama avec admiration :

– Je parie que vous pourriez battre n'importe quel athlète !

– **Merci !** répondit fièrement Craig. Mais

ce n'était qu'un jeu. Les **sportifs** professionnels sont bien meilleurs que nous !

Après quelques secondes de réflexion, Nicky répliqua avec un petit **sourire** :

– Tu as raison… Mais rien ne nous empêche d'organiser notre propre tournoi : **LE CHAMPIONNAT SPORTIF DE RAXFORD** ! Craig, Elly, voici mon idée…

Prenant ses camarades par le bras, la jeune fille entreprit de leur expliquer ce qui lui était venu à l'esprit…

Une invitation au sommet

Ayant décidé de faire une surprise à Nicky, les quatre autres Téa Sisters étaient sur le chemin de la piscine. Violet et Paulina transportaient une carafe pleine à ras bord d'un rafraîchissement concocté avec les **tomates** de leur potager, ainsi qu'un goûter. Quant à Colette et Paméla, elles s'étaient affublées des drôles de LUNETTES de soleil qu'elles avaient trouvées dans une brocante.

Dès qu'elle aperçut ses amies, Nicky **COURUT** à leur rencontre, suivie de Craig et d'Elly.

– Salut, Nicky ! dit Colette.

– Nous t'avons MIXÉ un bon jus de... lança Violet.

– Vite, chez monsieur de Ratis ! la coupa son amie.

Colette la regarda, ÉBERLUÉE.

– Pourquoi ? Le recteur manque de vitamines ?

– Mais non ! répondit Nicky en RIANT. Je veux

lui parler d'un **projet** qu'Elly, Craig et moi aimerions lui soumettre... Allons-y ensemble, je vous expliquerai en route !

Nicky leur exposa alors leur idée d'organiser un véritable **CHAMPIONNAT SPORTIF DE RAXFORD**, soulevant aussitôt l'enthousiasme des autres Téa Sisters.

– La majorité des étudiants y participeront !

– Il faudra penser à une **MASCOTTE** !

– Nous pourrons inclure un sport d'équipe !

– Et ce sont les *professeurs* qui composeront le jury !

Tous débordaient de propositions... Il ne leur restait plus qu'à obtenir le feu vert du recteur !

– *Belle initiative, jeunes gens !* s'exclama celui-ci, aussitôt emballé. Je tiens la personne qui pourra nous aider...

– Qui donc ? s'enquit Nicky.

– Un spécialiste de la question… CHACAL !
En entendant nommer celui qui leur avait dispensé un cours de TECHNIQUES DE SURVIE, les étudiants exultèrent.
– Mais bien sûr ! Le professeur Chacal est un as du SPORT ! On pourrait même lui demander de faire partie du jury ! s'extasia Pam.
– *Excellente suggestion !* répliqua Octave Encyclopédique de Ratis. Je prends

immédiatement un stylo et du papier pour lui écrire une belle lettre d'invitation !

Les élèves échangèrent des regards amusés : comme Chacal passait son temps à sillonner le MONDE, le moyen le plus rapide pour communiquer avec lui n'était assurément pas le courrier postal !

– À moins que nous tentions... un appel vidéo, hasarda Paulina en sortant de son sac à dos son téléphone portable dernière génération.

Réussir à joindre le fameux aventurier fut cependant plus difficile que prévu.

Ses interlocuteurs comprirent pourquoi, quand, enfin, leur correspondant apparut sur l'écran – derrière lui se dressaient de majestueux PICS enneigés.

– Excusez-moi, les amis ! les pria Chacal. Ici,

dans l'HIMALAYA, la connexion n'est pas des meilleures !

– Professeur Chacal ! Quel plaisir de vous revoir ! le salua le recteur.

Le grand aventurier écouta attentivement la proposition de ses anciens élèves et leur donna sur-le-champ la réponse qu'ils espéraient :

– POSITIF ! J'escalade ce sommet, redescends et fonce vers vous, à la vitesse du PARESSEUX glissant sur la glace !

L'ARRIVÉE DE L'OURAGAN CHACAL !

Chacal avait été très précis quant à son arrivée :

– Rendez-vous dans deux jours à 15 heures pile, sur le terrain de foot du collège !

– Aurait-on mal compris ? se demanda Paulina en regardant autour d'elle.

Il était déjà 14 h 50 et il n'y avait qu'elle et ses amies au milieu du stade.

– Pourquoi nous avoir demandé de l'ATTENDRE ici ? Il devra de toute façon emprunter l'ENTRÉE pour y arriver ! raisonna Colette.

– Pas forcément ! répondit Nicky, les yeux levés vers le ciel.

REGARDEZ !

Le VACARME d'un hélicoptère à l'approche venait d'attirer son attention.

– Regardez ! C'est Chacal ! cria Violet. Il descend en PARACHUTE !

Dès que leur ancien enseignant eut souplement touché le sol, les Téa Sisters coururent vers lui.

– Professeur Chacal, vous ne nous aviez pas dit que vous arriveriez par la voie des AIRS ! Décidément, vous nous étonnerez toujours ! s'exclama Pam.

– Un ami a bien voulu me déposer ! expliqua l'intrépide rongeur en enroulant son parachute.

Quand Chacal entra dans la salle que le recteur avait accordée aux étudiants pour en faire leur QUARTIER GÉNÉRAL, il put constater que le chantier était déjà bien avancé.

– Excellent travail ! s'exclama-t-il en admirant l'affiche présentant la manifestation sportive.

Et là, de quoi s'agit-il ? s'enquit-il en s'approchant de la table où Tanja finissait de coudre un bouton.

– Ce sera la MASCOTTE de notre championnat ! annonça la jeune fille en exhibant fièrement une **baleine** en tissu.

– Professeur, nous sommes en train de finir la liste des épreuves. Il ne nous reste plus qu'une discipline à trouver... **QUE NOUS CONSEILLERIEZ-VOUS ?**

– Ma foi, laissez-moi réfléchir... répondit Chacal en parcourant les notes des étudiants. Je vois que vous avez déjà pensé au plongeon, au

kayak, à la gymnastique rythmique... que diriez-vous de l'escrime ?

– Oh ouiii ! J'adore ce sport ! s'enthousiasma Connie.

La mine espiègle, Chacal se mit à sautiller à travers la pièce en brandissant une règle en guise de fleuret.

– MOI AUSSI, J'EN RAFFOLE ! s'exclama-t-il.

À force de bondir de-ci de-là, il se retrouva dans le coin de la pièce où se tenait Vanilla, qui avait observé la scène d'un air BLASÉ.

– Hé, regardez un peu qui est là : la petite mozzarella trop gâtée ! À quelle épreuve as-tu donc décidé de t'inscrire ?

En s'entendant appeler par le surnom dont Chacal l'avait affublée lors de son précédent passage, la jeune fille frémit de colère.

– La gymnastique rythmique ! ET JE NE SUIS PAS TROP GÂTÉE ! répliqua-t-elle, excédée.

À ces mots, les Téa Sisters elles-mêmes ne purent s'empêcher de rire : prétendre que Vanilla n'avait pas tout ce qu'elle voulait était comme soutenir que l'emmenthal n'a pas de TROUS !

Puis tous les autres étudiants annoncèrent, à leur tour, la discipline dans laquelle ils voulaient concourir. Tous, sauf Violet…

– Je ne suis pas encore certaine de participer à la compétition. Peut-être me consacrerai-je à la logistique.
Comme une joyeuse confusion régnait dans la pièce, elle fut la seule à entendre la réaction de Connie.
– Ben voyons ! ricana celle-ci à l'oreille des autres Vanilla Girls. La seule ACTIVITÉ physique qui puisse convenir à cette paresseuse, c'est un sport assis… comme la lecture !
Ce sarcasme démoralisa Violet… mais pas plus d'une seconde ! Lorsque ses yeux se posèrent sur la règle que venait de manier Chacal, elle sourit intérieurement : « Le temps est venu de montrer à ces quatre pimbêches qu'une paresseuse peut être une bonne sportive, quand elle le veut… ! »

VANILLA AFFÛTE SES GRIFFES !

Dès qu'elle avait entendu parler du championnat, Vanilla avait décrété que la médaille d'or de gymnastique rythmique serait pour elle.
Et quand Chacal la traita de mozzarella trop gâtée devant tout le monde, elle décida que sa victoire serait **fracassante** !
– Je vais lui faire voir, moi, à ce rat des cavernes !

glapit-elle en entrant dans le gymnase pour s'entraîner.

Au moment où elle poussa la porte, un tonnerre d'applaudissements retentit dans la salle.

Vanilla sourit de *satisfaction* : les étudiants de Raxford avaient compris qu'elle était la meilleure et l'accueillaient en véritable championne !

Mais elle s'aperçut aussitôt que les **YEUX** de ses camarades étaient braqués non pas sur elle, mais sur Colette, qui, animée d'une grâce aérienne, tentait d'exécuter un enchaînement avec RUBAN au centre du tapis.

– Colette, tu es formidable ! prononça une voix que Vanilla connaissait bien.

C'était celle de son amie Alicia…

Vanilla la foudroya du regard.

– Oups, Vanilla… Je disais ça comme ça…

Grrr !
Waouh, quel talent !
Parfait enchaînement !

plaida la jeune fille, embarrassée. Toi aussi tu es *formidable* ! *Formidablissime*, même, euh… En tout cas, bien *plus formidable* qu'elle !

– Grrr ! fulmina Vanilla. Je n'ai pas besoin que tu me le dises ! Je sais parfaitement que je suis INÉGALABLE !

Tout en parlant, elle remarqua qu'Alicia portait un justaucorps et tenait un cerceau.

– Au fait, pourquoi es-tu habillée ainsi ?

– Euh… bafouilla Alicia. Parce que… j'ai décidé de me présenter à l'épreuve de gymnastique rythmique…

– Ah non, ma chère ! Je crains que ce ne soit pas possible ! répliqua sa camarade.

– Bien sûr que si ! Je me suis renseignée : les **INSCRIPTIONS** sont encore ouvertes… insista naïvement la jeune fille.

– Pas pour toi ! La seule Vanilla Girl qui

concourra dans cette discipline, ce sera moi ! trancha Vanilla, à bout de **PATIENCE**.

Et d'ajouter :

– Je n'ai pas de temps à perdre à me mesurer avec mes amies. Toute mon énergie doit servir à pulvériser cette **frimeuse** de Colette !

Se retournant pour regarder sa rivale, qui continuait à s'exhiber sur le TAPIS, elle marmonna tout bas :

– Et ce ne sera pas facile... À MOINS DE TROUVER UNE ASTUCE...

Les jeux sont ouverts !

Le temps passa à toute ALLURE, si bien qu'en un rien de temps, le jour tant attendu de l'inauguration du championnat de Raxford arriva !
Le stade était rempli de jeunes athlètes, ainsi que de centaines de spectateurs venus des quatre coins de l'île pour ne pas rater ce qui s'annonçait comme la MANIFESTATION SPORTIVE DE L'ANNÉE.
Un silence fébrile avait gagné le public, et tous les regards convergeaient vers l'entrée principale, que devait emprunter un invité au rôle essentiel : en allumant la flamme symbole de ce

tournoi, cet ATHLÈTE donnerait le coup d'envoi des épreuves !

– LE VOICI ! LE VOICI ! LE VOICI ! LE VOICI ! LE VOICI ! LE VOICI !

Paméla pointa une silhouette qui approchait en courant. Il s'agissait d'un rongeur aux lunettes de soleil miroir, aux **MUSCLES** frétillants et à la *FOULÉE* résolue.

– Regardez, c'est Chacal ! s'exclama Nicky.

– Le parrain idéal pour cette cérémonie ! commenta Paulina.

Il rejoignit l'estrade, où l'attendait le recteur de Ratis, et d'un geste solennel appuya son FLAMBEAU au fond de la vasque.

BRAVO !
LES JEUX SONT OUVERTS !

QUELLE ÉMOTION !

Aussitôt une langue de feu s'élança vers le ciel, tandis que de crépitants applaudissements se répandaient.

Octave Encyclopédique de Ratis s'éclaircit la voix avant de déclarer d'un ton solennel :

L'OUVERTURE OFFICIELLE DU CHAMPIONNAT SPORTIF DE RAXFORD !

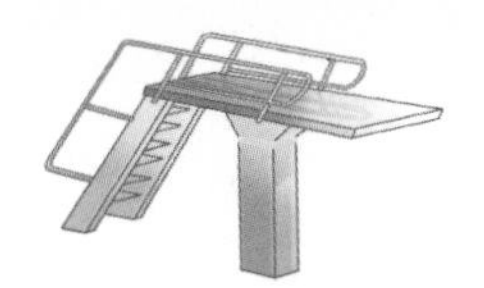

L'ÉPREUVE DE PLONGEON

Comme le tournoi débutait avec l'épreuve de *plongeon*, sportifs et spectateurs affluèrent vers la piscine.

Paméla, Colette, Paulina et Violet rejoignirent Nicky, qui finissait de s'échauffer au bord du bassin.

– **TU ES PRÊTE ?** lui demanda Paulina.

– **Archiprête !** répondit la jeune fille en souriant. Après tous ces jours d'entraînement, j'ai hâte de me jeter à l'eau !

– Ouvre ça et tu n'auras plus qu'une envie : te sécher ! s'**exclama** Colette en lui tendant un gros paquet moelleux.

Déballant le CADEAU que les Téa Sisters lui avaient choisi, Nicky découvrit un magnifique peignoir.

– Merci, les filles ! Il est splendide ! s'extasia-t-elle.

– Filons dans les gradins à présent, pour te laisser te concentrer…

– … et terrasser tes adversaires… même les plus crâneurs ! ironisa Pam en tournant les yeux vers Alicia.

Ayant dû renoncer à la gymnastique rythmique, celle-ci s'était rabattue sur la natation et se faisait PHOTOGRAPHIER par ses amies dans des poses de diva !

Des haut-parleurs jaillit soudain la voix de Chacal :

– ATTENTION, JEUNES CHABICHOUS ! L'ÉPREUVE VA COMMENCER ! LES ATHLÈTES SONT PRIÉS DE SE PRÉSENTER AUX PLONGEOIRS !

Nicky gagna très rapidement sa place. Quand ce fut son tour, elle gravit, le coeur battant, l'ESCALIER menant à la plate-forme. Plonger était toujours impressionnant, mais cette fois encore plus !

Avant de s'ÉLANCER, la jeune fille regarda en bas. Le jury, ses amies et la petite Béa : tous

avaient les **YEUX** braqués sur elle. Elle devait donner le meilleur d'elle-même !
Prenant une profonde INSPIRATION, elle courut jusqu'au bord du plongeoir. Mais alors qu'elle s'apprêtait à sauter, une violente lumière l'éblouit !
Elle perdit l'équilibre, et ne retrouva le contrôle de ses mouvements qu'au tout dernier moment, réalisant une performance… tout juste CORRECTE.
– Nicky, tu vas bien ? s'empressa de demander Pam quand son amie fut sortie de l'eau.
– Oui, merci, la rassura-t-elle.
– Que s'est-il passé ? s'enquit Colette.
– Je… j'ai vu une sorte d'éclair, mais j'ignore ce que cela pouvait être… répondit Nicky.
– Pour moi, en revanche, cela ne fait aucun mystère ! lâcha Pam en fixant Alicia, qui était

assise dans les tribunes. Alors que tu t'apprêtais à plonger, les Vanilla Girls se sont mises à prendre une rafale de **PHOTOS**... C'est le **FLASH** de leur appareil qui t'a déconcentrée !

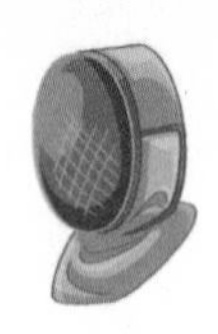

UN MYSTÈRE... OU PLUTÔT DEUX !

– Courage, Nicky ! Même si tu n'as pas obtenu le meilleur score, tu es qualifiée pour la finale ! souligna Colette pour consoler son amie.

Bien que leur plongeuse préférée continuait à prétendre que tout allait bien, les Téa Sisters avaient remarqué que, même après la fin de la compétition, le moral de Nicky ne REMONTAIT pas.

Installées dans les gradins du gymnase, où s'apprêtaient à débuter les épreuves qualificatives d'escrime, ses amies firent de leur mieux pour lui faire retrouver sa bonne humeur.

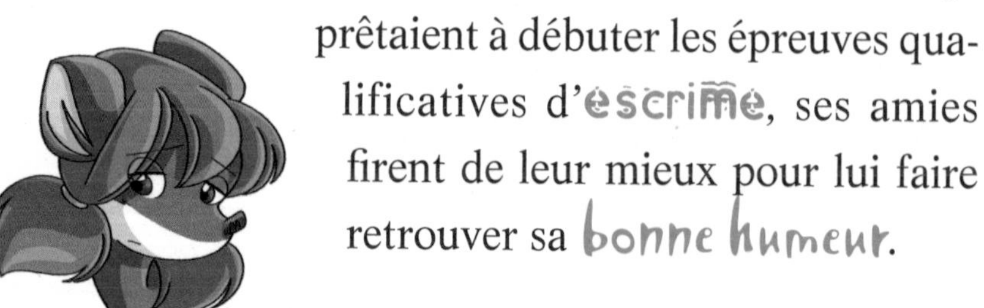

– Quand tu gagneras une médaille, nous organiserons une grande FÊTE en l'honneur de ta victoire ! s'exclama Pam.

– Rien ne dit que j'y arriverai… commenta faiblement Nicky.

– Alors, nous ferons une mégafête pour ta NON-VICTOIRE ! répliqua son amie du tac-au-tac.

Heureuse d'avoir enfin réussi à lui arracher un sourire, Pam proposa :

– Sœurettes, que diriez-vous d'une bonne tranche de PIZZA ? À force de regarder ces sportifs se dépenser, il m'est venu une faim de loup !

– Euh… moi, je passe mon tour… bredouilla Violet en se LEVANT brusquement. Je viens de me rappeler que j'ai oublié quelque chose dans ma chambre…

– Tu ne peux pas aller le chercher plus tard ?

s'étonna Paulina. L'épreuve va commencer, tu vas la rater !

– JE N'EN AI QUE POUR UNE MINUTE ! répondit la jeune fille en s'éloignant d'un pas rapide.

Pourtant, les craintes de Paulina se vérifièrent : Violet ne revint pas à temps, manquant notamment la prestation d'une mystérieuse ESCRIMEUSE, dont l'habileté laissa tout le monde bouche bée !

La jeune athlète était arrivée sur la piste le visage déjà couvert par son masque et avait refusé de révéler son identité même après avoir battu son adversaire et s'être hissée en haut du classement.

– D'après vous, qui peut-elle être ? demanda Colette à la fin de l'épreuve.

– De qui parlez-vous ? s'enquit Violet en rejoignant ses amies.

– D'une fabuleuse escrimeuse dont personne ne sait rien… répondit Colette, et que tu n'as pas vue puisque tu t'étais VOLATILISÉE !

– Au fait, pourquoi as-tu mis autant de temps ? insista Paulina.

– Eh ben… parce que… parce que… balbutia Violet. Parce qu'il y avait une longue QUEUE !

Nicky la dévisagea, incrédule.

– Une longue queue… devant ta chambre ?!

Violet ROUGIT.

– Désolée, je me suis mal expliquée.

Tandis qu'elle leur racontait une ROCAMBOLESQUE histoire d'étudiants agglutinés dans l'ESCALIER menant au second étage, Paulina l'examina d'un œil investigateur et remarqua qu'elle était ÉBOURIFFÉE et comme ÉCHAUFFÉE.

Apparemment, le MYSTÈRE de l'escrimeuse inconnue n'était pas le seul de cette journée...

Qui s'amuse gagne !

Le **double salto avant** était une figure que Nicky avait exécutée à la perfection d'innombrables fois. Ce matin-là, elle lui semblait pourtant la plus **DIFFICILE** qu'elle eût jamais tentée ! La jeune fille s'assit sur le bord du plongeoir et secoua la tête en contemplant le bassin : son **entraînement** ne se passait décidément pas comme elle l'aurait voulu. Chaque fois qu'elle prenait son élan, la **sensation** qu'elle avait éprouvée la veille, quand l'éclair du **FLASH** avait failli lui faire perdre l'équilibre et la mettre en danger, lui revenait.

Ses amies la croyaient découragée par son faible score, or pour elle, l'essentiel n'était pas de gagner. Son vrai problème était qu'elle ne savait comment se débarrasser de l'APPRÉHENSION qui l'empêchait de plonger.

Une voix enjouée l'arracha à ses ruminations :

– Salut, Nicky ! Comment se passe ton **entraînement** ?

Ce n'était autre que Colette, qui venait d'arriver à la piscine en compagnie de Pam, Violet et Paulina.

Jugeant qu'il n'y avait pas lieu d'inquiéter ses amies avec son **MALAISE**, Nicky s'empressa de redescendre du plongeoir et répondit :

– Bien, merci ! Et les vôtres ?

– Ma foi, pas mal ! La chorégraphie que j'ai

choisie est vraiment belle ! Sans vouloir me **vanter**, je pense ne pas avoir de rivale ! raconta Colette.

– Et vous ? lança Nicky à Pam et à Paulina, qui restaient étrangement silencieuses.

Les deux filles concouraient avec Shen et Craig dans l'**ÉPREUVE** de kayak. Or Nicky soupçonnait quelque difficulté.

– Eh ben… COUCI-COUÇA, répondit en effet Pam.

– Je crains que nous n'ayons aucune chance de l'emporter, soupira Paulina. Les autres équipes ont un très bon niveau, alors que le nôtre est DÉSASTREUX !

– L'important est de faire de son mieux ! Les bons moments que vous vivez avec vos coéquipiers comptent plus que n'importe quelle médaille !

Pam se sentit soudain réconfortée.

– Tu sais quoi ? Tu as tout à fait raison, sœurette ! Désormais, nous viserons le trophée… de la bonne humeur !

1

D'abord, nous n'arrivions pas à coordonner nos mouvements...

2

... puis la pagaie de Shen a glissé dans l'eau. Et quand il s'est penché pour la récupérer...

3

... il a perdu l'équilibre, le kayak s'est retourné et nous avons tous bu la tasse !

UNE TOUCHE DE COULEUR

Grâce aux encouragements des Téa Sisters, Pam et Paulina reprirent leur entraînement avec plus de dynamisme.

Leur équipe n'était ni la plus rapide, ni la mieux coordonnée… mais elle était soudée et pleine d'entrain !

Pour gagner la compétition, les quatre amis avaient décidé de s'en remettre aux conseils avisés de leur professeur. Durant les exercices, celui-ci les suivait à courte distance en leur recommandant :

– SHEN, REDRESSE TES ÉPAULES !
PAULINA, RESPIRE À FOND !
PAM, CONCENTRE-TOI !

Très rapidement, Pam, Paulina, Craig et Shen découvrirent qu'en se focalisant sur leurs qualités au lieu de ne penser qu'à leurs DÉFAUTS, ils s'amélioraient déjà !

Arrêtant le **CHRONOMÈTRE** au moment précis où la proue de leur kayak toucha la rive, Pam claironna :

– Les amis, nous venons de battre notre record !

– Et sans tomber à l'EAU une seule fois ! ajouta triomphalement Shen.

Craig s'exclama :

– Je propose un **HOURRA** en l'honneur des… des…

Fronçant les sourcils, il demanda :

– Comment s'appelle-t-on, au fait ?!

YOUPI !

– Craig a raison : notre équipe n'a pas encore de nom, dit Paulina.

– Il faut en trouver un qui exprime la joie… Par exemple… les Confettis ! suggéra Pam.

Shen applaudit des deux mains.

– Parfait ! Pourquoi ne pas l'écrire sur la coque du kayak ?

Craig se rappela alors avoir vu des pots de PEINTURE dans le hangar où l'on rangeait les bateaux. Sans perdre un instant, lui et Shen COURURENT les chercher.

– Nous revoilà ! claironna ce dernier peu après. Transportant toute une pile de pots, il ne pouvait voir où il mettait les pieds.

– Nous avons du bleu, du vert, du rouge et du jauuu… Aaah !!!

Soudain, il trébucha sur une racine et finit le nez dans l'herbe. Quant à son chargement, il

s'envola, se déboucha et **éclaboussa** leur kayak !

– Désolé… souffla Shen en se relevant et en contemplant la coque barbouillée. J'ai fait un sacré **GÂCHIS** !

Examinant les taches de couleur qui avaient déjà commencé à sécher, Pam répliqua :

– PAS SÛR...

La jeune fille plongea un *pinceau* dans le fond d'un pot et le secoua devant le bateau, produisant de nouvelles mouchetures.

– Dites-moi... à quoi vous font penser ces POINTS de toutes les couleurs ?

Paulina n'hésita pas une seconde :

– À des confettis !

En deux temps trois mouvements, Paulina, Craig et Shen s'armèrent eux aussi de pinceaux et, à l'image de leur camarade, couvrirent la coque d'éclaboussures bleues, jaunes, rouges, vertes...

– Excellent travail, les Confettis ! les félicita Chacal. Maintenant, il ne vous reste plus qu'à entrer dans l'eau et à vous **SURPASSER** !

TOPE LÀ !
BRAVO, LES CONFETTIS !

Un obstacle sur la route de Vanilla

Le jour fébrilement attendu par Vanilla se rapprochait. Lors de la compétition de gymnastique rythmique, elle comptait en effet démontrer qu'elle était la meilleure athlète de tout le collège !

Pour rendre sa prestation inoubliable, elle n'avait négligé aucun détail. Elle connaissait à la perfection chaque mouvement de sa chorégraphie, travaillée avec un professionnel que sa mère avait embauché pour l'occasion.

De même avait-elle apporté le plus grand soin à son costume, qui se composait d'un

justaucorps vert et argent, couvert de PAILLETTES, destinées à la faire briller comme une étoile sous les feux des projecteurs.

La touche finale était un diadème réalisé par le plus célèbre joaillier de Paris.

La veille de l'épreuve, admirant Vanilla qui essayait sa tenue, Alicia s'exclama :

– Tu as l'air d'une princesse !

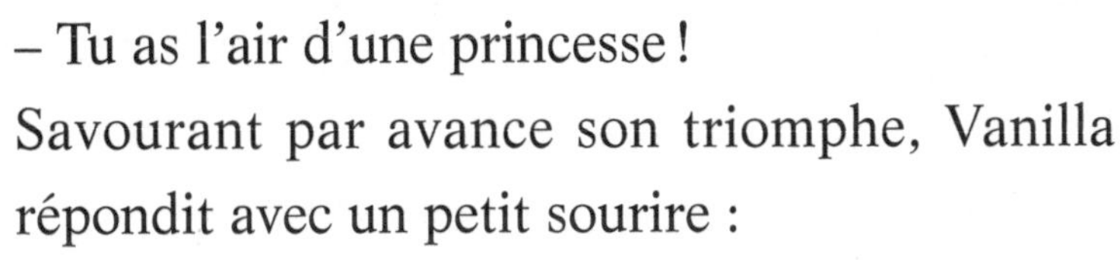

Savourant par avance son triomphe, Vanilla répondit avec un petit sourire :

– En effet, je serai la plus belle de toutes, mais l'important est que je serai aussi…

– Exceptionnelle ! dit quelqu'un d'un ton rêveur.

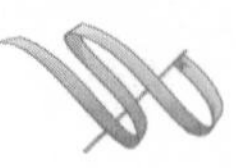

– Tu as tout compris… répliqua une Vanilla aux anges, avant de se FIGER brusquement.
Ce n'était pas Alicia mais une autre étudiante qui venait de parler, et elle ne faisait pas allusion à Vanilla mais à une autre gymnaste ! Une jeune fille en body rose et bleu qui virevoltait harmonieusement sur le tapis…
– COLETTE ! gronda Vanilla, hors d'elle. Cette petite bêcheuse veut me souffler la médaille d'or !
Malgré ses efforts pour exécuter ses enchaînements avec élégance et précision et malgré le raffinement de sa tenue, Vanilla savait que Colette représentait un vrai danger pour elle.
Une fois encore, des filles s'étaient arrêtées pour regarder cette dernière et l'avaient félicitée à la fin de sa chorégraphie.

TU ES TRÈS DOUÉE !
MERCI !

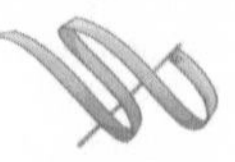

– *Tu es très douée ! Je suis certaine que tu vas gagner !* lui dit l'une d'elles.

– Ah, merci… Je pense avoir mes chances, en effet, reconnut Colette. La gymnastique rythmique est mon point fort !

– Tu me fais penser à un PAPILLON… ajouta une autre. Dans tes mains, le ruban semble *léger* comme une plume !

En entendant ces mots, une idée germa dans l'esprit de Vanilla.

– Léger ? Mmmh… réfléchit-elle tout bas. MAIS BIEN SÛR ! MAINTENANT JE SAIS QUOI FAIRE !

À cet instant, Violet entra dans le gymnase en courant.

– Coco, tu viens nous aider à **concevoir** les dossards de l'équipe de Pam et de Nicky ? À moins que tu n'aies pas fini de t'entraîner ?

Colette posa son RUBAN.

– Plus besoin : je maîtrise parfaitement ma chorégraphie maintenant ! J'arrive ! répondit-elle joyeusement.

S'approchant du ruban de sa rivale, Vanilla murmura avec une expression MAUVAISE :

– BIENTÔT, LE CHEMIN DE LA VICTOIRE SERA COMPLÈTEMENT LIBRE !

UNE PRESTATION INTERROMPUE...

Assis dans la tribune du jury située au bord du tapis, Chacal annonça d'une voix sonore :

– **LA PREMIÈRE À SE PRÉSENTER SERA VANILLA DE VISSEN !**

Aussitôt, les Vanilla Girls, qui tenaient une banderole avec la PHOTO de leur amie, lui crièrent des mots d'ENCOURAGEMENT.

Vanilla gagna le centre du tapis d'un air HAUTAIN et quand les premières notes de son thème musical se firent entendre, elle entama sa **CHORÉGRAPHIE**.

La jeune fille virevolta avec style et **DÉTERMINATION**, enchantant à la fois le jury et le public.

Ce fut ensuite au tour de Colette.
Celle-ci adressa un sourire confiant à ses amies, qui depuis leurs sièges dans les tribunes la regardaient avec un brin d'anxiété. Puis elle posa son ruban à ses pieds, comme l'exigeait son programme. Ce faisant, elle eut une DRÔLE d'impression : quelque chose n'était pas exactement comme d'habitude, mais elle ignorait quoi.
Dès que la musique commença, Colette ramassa son engin et le lança en l'air... Elle comprit alors ce qui n'allait pas : *le ruban était plus lourd que d'habitude !*
Elle poursuivit sa prestation mais, distraite par le poids de l'engin, elle se trompa dans une suite de pas et fut obligée d'arrêter.
Figée au milieu du gymnase, la jeune fille **REGARDA** autour d'elle, désorientée, tandis que la musique continuait.

Le jury, ses amies et le reste des spectateurs la *FIXAIENT* sans comprendre.

Perdue et abattue, Colette baissa la tête. Le triomphe tant attendu s'était transformé en véritable **DÉSASTRE** !

SECONDE CHANCE

– Je regrette, dit doucement Chacal après avoir rejoint Colette. Une athlète ne peut s'arrêter en cours de programme. Je suis obligé de te disqualifier…

Entourée de ses amies, la jeune fille soupira d'un air triste :

– Cela ne fait rien, je comprends… C'est entièrement ma faute… Peut-être étais-je trop sûre de moi…

– Pas du tout ! répliqua Pam. Nous t'avons vu exécuter cet enchaînement des dizaines de fois et tu t'en es toujours parfaitement tirée !
– Je le sais, mais quand je me suis mise en place, quelque chose m'a semblé différent, comme si mon bras était soudain devenu très lourd ! expliqua Colette.
– En fait, le problème n'était pas ton BRAS, mais le ruban ! intervint Nicky.
La jeune fille montra à ses camarades et au professeur médusés ce qu'elle venait de découvrir.
– Regardez, l'engin de Colette a été trafiqué : on y a cousu une seconde bande de tissu pour l'alourdir !
Nicky, Paulina, Violet et Pam

échangèrent un regard entendu : quelqu'un avait SABOTÉ la prestation de Colette pour la faire éliminer ; et la suspecte leur semblait toute trouvée…

– Vanilla ! Ce doit être elle ! Je vais aller lui dire deux mots ! s'écria Pam, furibonde.

– Nous ne pouvons pas l'accuser sans preuve ! l'arrêta Violet.

– Et le ruban n'est pas seul en cause, ajouta Colette. Ces derniers jours, j'étais trop confiante, si bien que j'ai arrêté de m'entraîner… Si j'avais continué, je n'aurais pas OUBLIÉ mes pas !

– C'est vrai, mais maintenant tu vas avoir l'occasion de te rattraper ! Comme le ruban n'était pas réglementaire, tu as le droit de recommencer ! conclut Chacal.

– **Merci !** Mais le mien est inutilisable, et je n'en ai pas de rechange…

– Je suis sûr que l'une de tes **camarades** se fera un plaisir de te prêter le sien, répliqua Chacal. Par exemple…

S'approchant de Vanilla, il lui demanda :

– *Vanilla*, Colette a besoin d'un ruban, aurais-tu la gentillesse de lui passer le tien ?

– QUUUOIII ?!?

La jeune fille bondit. Puis comprenant qu'elle n'avait guère le choix, elle se résigna à confier son propre engin à sa plus redoutable **rivale**.

Colette regagna le tapis, bien décidée à faire de son mieux, mais sans tenir sa victoire pour acquise, cette fois.

Munie du ruban de Vanilla, elle évolua avec

QUEL TALENT !
EXTRAORDINAIRE !

BRAVO !

plus d'*expressivité* et d'aisance que jamais. Sa virtuosité lui valut l'admiration de tous. Le jury se prononça à l'unanimité : elle méritait la médaille d'or !

– Merci, dit Colette en souriant. Pour moi, l'important était de concourir loyalement… **NON PAS POUR GAGNER, MAIS POUR DONNER LE MEILLEUR DE MOI-MÊME !**

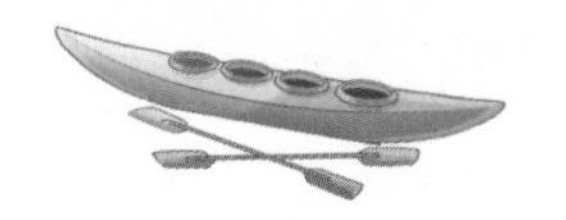

UN PRIX SPÉCIAL

Le lendemain matin, les spectateurs venus en foule à la plage pour assister à l'épreuve de kayak furent accueillis par un SOLEIL resplendissant et une **MER** aussi lisse qu'une planche de surf. Nicky, Violet et Colette arrivèrent parmi les premières pour être sûres d'obtenir les meilleures **places**.

– Voilà, d'ici la visibilité est parfaite ! déclara Violet en localisant le point de départ de la **course**.

– Maintenant, il n'y a plus qu'à attendre les Confettis, commenta Nicky en scrutant les alentours. Justement, où sont-ils passés ?

La majorité des équipes devant participer à la régate étaient déjà rassemblées au bord de l'eau. Mais aucune TRACE de Paméla, Paulina, Craig et Shen !
Comme en réponse à la question de Nicky, une exclamation de surprise monta du public :
– OOOOOOHHHHHHHHHH !

Tous regardaient en direction du chemin menant à la plage, sur lequel venaient d'apparaître Craig, Paulina, Shen et Pam, chargés d'un kayak bariolé !

– Waouh, les amis ! Ça, c'est un bateau digne des Confettis ! s'exclamèrent les trois Téa Sisters.

À cet instant, sortant des haut-parleurs, la voix de Chacal invita les concurrents à se mettre en PLACE.

Les équipages rejoignirent la ligne de départ et dès que le signal fut donné, ils pagayèrent de toutes leurs forces !

Se plaçant immédiatement en tête, Ron, Elly, Tanja et Vik se montrèrent les plus rapides, sans que l'équipe de Pam et de Paulina ménage ses efforts.

Les Confettis ne terminèrent pas parmi les trois PREMIÈRES équipes, mais lorsqu'ils

ALLEZ, LES CONFETTIS !

regagnèrent la rive, Nicky, Violet et Colette les accueillirent avec force **LOUANGES** et **APPLAUDISSEMENTS**.

Lors de la remise des médailles, les Confettis furent, à leur grande surprise, invités à s'approcher du podium.

– Il doit y avoir une erreur ! s'exclama Paulina.

– Absolument pas ! répondit Chacal en souriant. La manière dont vous avez DÉCORÉ votre kayak ainsi que votre enthousiasme ont tellement impressionné le jury qu'il a décidé de vous proclamer :

L'ÉQUIPE LA PLUS GAIE DE TOUT LE CHAMPIONNAT !

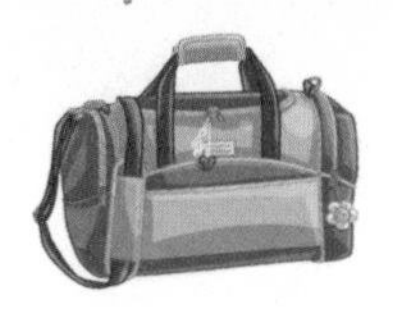

CACHOTTERIES ET... SURPRISE !

Tandis qu'elle FÊTAIT ce prix inattendu avec le reste de son équipe et avec ses amies, Paulina remarqua que Violet se montrait DISTRAITE et ne cessait de regarder sa montre.

« Mmh… nous y revoilà, pensa-t-elle. Je parie que d'ici peu, elle inventera une excuse pour s'en aller… »

Et en effet, quelques secondes plus tard, Violet annonça :

– Les filles, ce matin, j'ai cassé une CORDE de mon violon. Je fais un saut au *Zanzibazar* pour en acheter une autre.

– Tu vas rater la finale d'escrime ! lui fit remarquer Nicky.

– Ne t'en fais pas, je serai là ! répondit sa camarade avec un petit sourire.

La jeune fille s'éloigna de la plage en toute hâte. Elle était si PRESSÉE qu'elle ne remarqua pas que quelqu'un l'avait suivie :

Paulina !

L'étrange disparition de Violet pendant les épreuves de qualification avait INTRIGUÉ son amie, qui depuis lors l'observait de près. Ayant relevé d'autres bizarreries dans son comportement, Paulina avait acquis la conviction que Violet cachait quelque chose !

En premier lieu, elle continuait à s'éclipser aux moments les plus inopportuns en évoquant des prétextes farfelus.

Et à son retour, elle était toujours DÉCOIFFÉE et FATIGUÉE, comme si elle venait de faire du sport !

Mais les bizarreries ne s'arrêtaient pas là. Quelques jours plus tôt, alors qu'elle se trouvait dans la chambre de sa camarade, Paulina avait remarqué un sac de **sport** caché sous son lit !

Ce jour-là, résolue à élucider ce petit mystère,

Paulina suivit Violet jusqu'à sa chambre, puis elle se tapit à un angle du couloir en attendant ce qui suivrait.

Au bout de quelques minutes, Violet entrebâilla légèrement sa porte et pointa le nez au-dehors. Après s'être assurée qu'il n'y avait personne dans les parages, elle sortit vêtue d'une tenue d'escrime !

Mais avant de repartir, la jeune fille remonta ses cheveux et mit son masque. Alors tout devint clair aux yeux de Paulina : la MYSTÉRIEUSE escrimeuse n'était autre que Violet !

A-HA!

LA FENTE GAGNANTE

– Hé, Paulina, où étais-tu ? demanda Colette quand son amie la rejoignit sur les gradins du GYMNASE.

– Euh... j'ai fait un saut dans ma chambre pour... vérifier quelque chose... répliqua évasivement la jeune fille.

Paulina aurait aimé RÉVÉLER sa découverte aux autres Téa Sisters, mais si Violet avait gardé cette affaire secrète, peut-être comptait-elle leur faire une surprise. Auquel cas, pas question de lui gâcher son effet !

– **Les voici !** s'exclama Pam en voyant s'avancer les deux finalistes.

Celles qui s'apprêtaient à se disputer la médaille d'or n'étaient autres que Connie et… la MYSTÉRIEUSE escrimeuse !

Toutes deux se mirent en garde. Bien que leurs visages soient cachés, la tension de leurs corps trahissait les **REGARDS** de défi qu'elles échangeaient !

Attaquant la première, Connie tenta une FENTE, mais son adversaire la para agilement avant de

contre-attaquer. Tout au long d'un COMBAT très serré, Connie, adepte d'un style énergique et agressif, et la mystérieuse escrimeuse, toute en mouvements précis et élégants, s'affrontèrent sans RÉPIT et avec une adresse égale.
Ce fut toutefois l'inconnue qui décocha le coup **gagnant**.

Avant d'aller serrer la main de Connie, elle retira son masque et, sous les yeux ébahis des spectateurs, révéla son identité !

– **Violet !** s'écria Pam en se précipitant sur la piste pour étreindre son amie.

Quelle révélation !

– Nous étions convaincues que tu ne voulais participer

à aucune épreuve ! Qu'est-ce qui t'a finalement fait changer d'**avis** ? s'enquit Colette.

Posant les **YEUX** sur Connie, son amie répondit :

– Je voulais qu'une certaine personne comprenne qu'il ne faut pas **JUGER** les gens sur les apparences ! Et qu'une paresseuse comme moi peut se passionner pour le sport !

LE DERNIER DÉFI

– Nicky, il ne reste plus que ta finale, demain ! rappela Paulina en souriant. Tu te sens nerveuse ?

– À vrai dire… je ne crois pas que j'y participerai, BREDOUILLA la jeune fille, l'air contrarié.

L'espace d'un instant, Paméla, Colette, Violet et Paulina restèrent silencieuses : avaient-elles bien entendu ? Leur camarade renonçait à briguer une médaille dans l'un de ses sports favoris ?!

– Mais enfin, pourquoi ? s'enquit Colette. TU ADORES PLONGER !

Jusque-là, Nicky avait préféré ne pas parler de

son problème, espérant que sa PEUR disparaîtrait et que tout reviendrait à la normale. Mais plus les jours passaient, plus plonger lui semblait DIFFICILE ; en outre, elle ne pouvait continuer à faire comme si de rien n'était avec ses amies !

– Depuis que j'ai failli tomber aux éliminatoires, je tremble rien qu'à l'idée de monter sur

la plate-forme… et ne parlons pas de plonger !

– D'accord, ton appréhension est tout à fait normale, reconnut Violet. Mais il doit bien exister un moyen de la SURMONTER !

– Je crains que non… répliqua son amie en secouant tristement la tête.

Les autres Téa Sisters tentèrent de la faire changer d'avis, mais n'ayant plus le CŒUR à concourir, Nicky avait décidé de se retirer de la compétition.

Pour autant, ses amies, elles, ne s'avouèrent pas vaincues !

Après le dîner, chacune d'entre elles se FAUFILA hors de sa chambre.

– Violet ! s'exclama Paulina en se retrouvant face à son amie dans le couloir. Justement, je te cherchais !

– Et moi, c'est toi que je cherchais ! répliqua Violet.

– Nous aussi voulions vous voir ! ajouta Colette en SURGISSANT avec Pam. Quelque chose me dit que nous pensons toutes à la même chose…

– … convaincre Nicky de ne pas se priver de sa finale ! acheva Paulina.

– Oui, mais nous n'avons pas réussi, tout à l'heure, observa Violet.

– Il nous faudrait l'aide de quelqu'un qui comprenne ce que Nicky éprouve en ce moment…

Le visage de Colette s'éclaira.

– Mais bien sûr ! Réfléchissez : qui, parmi nos connaissances, a l'habitude d'affronter des défis requérant beaucoup de courage, comme… escalader l'Himalaya ?!

– CHACAL ! s'écria Paulina, rayonnante. Vite, courons le trouver !

Adieu, la peur !

Chacal écouta avec la plus grande attention le récit des quatre filles et fut **IMPRESSIONNÉ** par leur détermination à secourir leur camarade.

– Nicky a beaucoup de chance d'avoir des amies comme vous ! finit-il par dire. Ne vous inquiétez pas, je ferai tout mon possible pour la faire revenir sur sa décision !

Le lendemain matin, il entra en action.

Connaissant la passion de la jeune fille pour le ***JOGGING***, il décida d'effectuer sa séance d'**ÉCHAUFFEMENT** dans le jardin, afin d'être certain de la croiser. Et en effet…

– ***HÉ, NICKY !*** l'interpella-t-il dès qu'il la vit

arriver en chaussures de course. J'ai appris que tu ne participerais peut-être pas à la **FINALE** d'aujourd'hui… C'est vrai ?

– **Oui…** Je préfère m'abstenir… reconnut-elle.

Le professeur lui proposa de s'**asseoir** sur un banc.

– **JEUNE FAISSELLE**, tu m'as l'air bien décidée ! commença-t-il. Si tel est ton choix, je n'essayerai pas de t'en **dissuader**. J'aimerais cependant te poser une question : pourquoi, au départ, as-tu choisi de t'inscrire à cette épreuve ?

Sans avoir besoin de réfléchir, Nicky répondit d'une traite :

– Parce que j'adore **nager**, et plus encore plonger…
Et d'ajouter, pleine d'enthousiasme :
– Quand je m'élance, j'ai l'impression de voler ; et pendant la fraction de seconde où je plane dans les airs, mon **CŒUR** éclate de joie !
– Très bien, acquiesça Chacal. Maintenant, permets-moi de te demander autre chose : pourquoi veux-tu te retirer ?
Cette fois encore, Nicky lui confia spontanément :
– Parce que la dernière fois que j'ai plongé, j'ai éprouvé une **FRAYEUR** dont je n'arrive plus à me débarrasser.
– Et tu ne trouves pas dommage que le souvenir d'une sensation **DÉSAGRÉABLE** te prive des magnifiques émotions que tu ressens le reste du temps ? fit valoir le professeur.

Nicky sourit et la peur qui l'habitait commença à se dissiper. Elle n'était pas encore certaine de réussir à plonger, mais les paroles de Chacal lui avaient redonné l'envie d'essayer !

Lorsqu'une fois à la piscine, elle découvrit ses amies et élèves prêts à l'encourager, Nicky sentit revenir sa confiance en elle.

– Nicky ! Nicky ! appela Béa en courant vers elle. J'ai quelque chose à te donner !

La fillette retira de son poignet le bracelet aux fils de couleur que sa monitrice lui avait offert quelques jours plus tôt.

– Prends ça !

dit-elle en le lui tendant. Ainsi quand tu seras sur la plate-forme, ce sera un peu comme si j'étais avec toi et que nous plongions ensemble !
– Merci, Béa ! murmura Nicky, tout émue.
Lorsqu'elle enfila le bijou, elle s'aperçut que son appréhension avait disparu.

LA PLUS IMPORTANTE VICTOIRE

Avant que l'épreuve commence, Chacal pria le public d'observer le plus rigoureux silence et de ne rien faire qui puisse déconcentrer les concurrents.
Quand Nicky monta sur la plate-forme, pas le moindre bruit ni le moindre geste ne vint troubler le calme ambiant.
Fermant les yeux, la jeune fille repassa en revue la séquence de mouvements qu'elle devait exécuter. Lorsqu'elle les rouvrit, elle constata qu'elle était prête et elle s'ÉLANÇA.
Alors pour la première fois depuis plusieurs

PARFAIT PLONGEON !
BRAVO !

jours, elle ne se sentit pas retenue par la PEUR… mais stimulée par l'envie de sauter !
Dès qu'elle pénétra dans l'eau, le public se répandit en APPLAUDISSEMENTS, dont les échos ouatés parvinrent jusqu'à elle.
Et les OVATIONS crûrent encore quand le jury lui attribua le maximum de points !
– TU AS ÉTÉ FANTASTIQUE ! s'exclama Paulina en rejoignant son amie avec les autres Téa Sisters.
– D'ailleurs, nous n'en avions jamais douté ! ajouta Colette.
Nicky fixa alors ses quatre complices. Elle avait bien deviné que l'intervention de Chacal portait leur empreinte.
– Merci ! Je sais que vous n'avez jamais cessé de croire en moi… Vous êtes comme des sœurs pour moi !

– **FÉLICITATIONS, NICKY !** dit Chacal en s'approchant du petit groupe. **TON PLONGEON ÉTAIT PARFAIT !** Malheureusement, à cause de ton score médiocre aux éliminatoires, tu devras te contenter de la médaille d'**argent**...

– Cela n'a aucune importance ! Ma plus belle victoire est de m'être libérée de mon appréhension ! répliqua la jeune fille, **RAYONNANTE**. Et jamais je ne l'aurais remportée sans l'aide de mes **formidables** amies !

Au revoir, Chacal !

Ainsi s'acheva le championnat sportif de Raxford. Les terrains commençaient à se vider et les Téa Sisters se dirigeaient vers le collège, quand elles entendirent quelqu'un s'adresser à elles.

– AU REVOIR, LES FILLES ! JE M'EN VAIS ! leur annonça Chacal.

– Voulez-vous que je vous accompagne au PORT ? lui proposa Colette.

– Nous pouvons y aller avec mon quatre-quatre… commença Pam.
Mais un grand vacarme couvrant sa voix l'empêcha de finir sa phrase. En moins de temps qu'il n'en faut pour le dire, un **HÉLICOPTÈRE** apparut dans le ciel et vint stationner juste au-dessus du stade.
– Merci, mais je n'en aurai pas besoin : un ami est venu me **CHERCHER** ! dit l'aventurier en souriant.
Fixant les Téa Sisters, il ajouta :
– J'ai vraiment aimé partager cette **expérience** avec vous. Vous vous êtes démenées pour gagner, tout en ayant compris, me semble-t-il, qu'il y a des conquêtes plus importantes que les médailles !
– Oui, comme surmonter ses **PEURS** ! cita Nicky.

– Ne pas craindre le **jugement** des autres ! ajouta Violet.

– Être **HONNÊTE** avec soi-même ! renchérit Colette.

– **OU TRAVAILLER EN ÉQUIPE !** s'exclamèrent en chœur Pam et Paulina.

– **BRAVO, JEUNES FAISSELLES, JE SUIS FIER DE VOUS !** conclut Chacal.

Puis, il courut vers l'appareil, attrapa l'échelle qui pendait du cadre de la porte et s'envola…

VERS DE NOUVELLES AVENTURES !

Au revoir, prof !
Merci !
À bientôt !

SALUT !
UNIQUE !

Table des matières

DANS LA MÊME COLLECTION

1. Téa Sisters contre Vanilla Girls
2. Le Journal intime de Colette
3. Vent de panique à Raxford
4. Les Reines de la danse
5. Un projet top secret!
6. Cinq amies pour un spectacle
7. Rock à Raxford!
8. L'Invitée mystérieuse
9. Une lettre d'amour bien mystérieuse
10. Une princesse sur la glace
11. Deux stars au collège
12. Top-modèle pour un jour
13. Le Sauvetage des bébés tortues
14. Le Concours de poésie
15. La Recette de l'amitié
16. Un prince incognito
17. Le Fantôme de Castel Faucon

Et aussi...

Hors-série
Le Prince de l'Atlantide

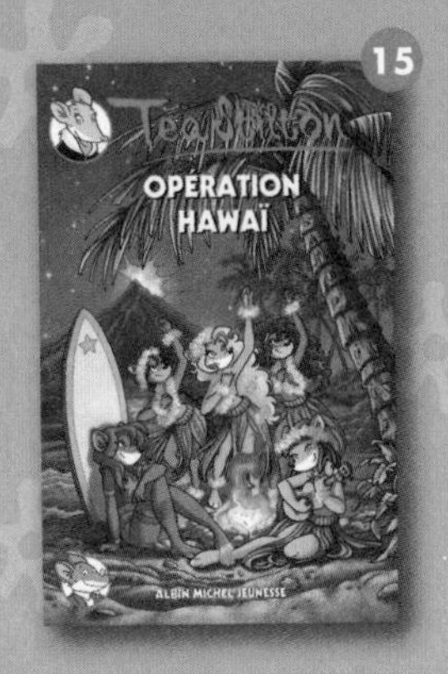

1. Le Code du dragon
2. Le Mystère de la montagne rouge
3. La Cité secrète
4. Mystère à Paris
5. Le Vaisseau fantôme
6. New York New York !
7. Le Trésor sous la glace
8. Destination étoiles
9. La Disparue du clan MacMouse
10. Le Secret des marionnettes japonaises
11. La Piste du scarabée bleu
12. L'Émeraude du prince indien
13. Vol dans l'Orient-Express
14. Menace en coulisses
15. Opération Hawaï
16. Académie Flamenco

N
S
1
2
3
4
5
6
7
8
9
10
11
12
13
14
15
16
17
18
19
20
21
22
23
24
25
ÎLE
DES BALEINES

L'île des Baleines

1. Pic du Faucon
2. Observatoire astronomique
3. Mont Ébouleux
4. Installations photovoltaïques pour l'énergie solaire
5. Plaine du Bouc
6. Pointe Ventue
7. Plage des Tortues
8. Plage Plageuse
9. Collège de Raxford
10. Rivière Bernicle
11. *L'Antique Cancoillotterie*, restaurant et siège des *Messageries Ratiques – Transports maritimes*
12. Port
13. Maison des Calamars
14. *Zanzibazar*
15. Baie des Papillons
16. Pointe de la Moule
17. Rocher du Phare
18. Rochers du Cormoran
19. Forêt des Rossignols
20. Villa Marée, laboratoire de biologie marine
21. Forêt des Faucons
22. Grotte du Vent
23. Grotte du Phoque
24. Récif des Mouettes
25. Plage des Ânons

RAXFORD
1
2
3
4
5
6

7
8
9
10
11
12
1. Terrain de jeux
2. Appartements des professeurs
3. Club des Lézards noirs
4. Jardin
5. Tour du Sud
6. Club des Lézards verts
7. Bureau du recteur
8. Jardin des herbes aromatiques
9. Tour du Nord
10. Réfectoire
11. Amphithéâtre
12. Escalier des cartes géographiques